ATHANASIUS SCHNEIDER

DOMINUS EST

Reflexiones
de un obispo del Asia Central
sobre la Sagrada Comunión

LIBRERIA EDITRICE VATICANA

"DOMINUS EST"

ES EL SEÑOR

FOTO de la portada: *S.S. Benedicto XVI da la Eucaristía a una niña de Primera Comunión en la Fiesta del Corpus Christi, 2008.*

00120 Cittá del Vaticano
Tel. 06.698.85003 - Fax 06.698.84716

ISBN-978-88-209-8001-6

www.libreriaeditricevaticana.com

Distribuidor Autorizado para México
Centro María Reina de la Paz Toluca
Paseo del Carmen No. 33,
Fracc. La Asunción, C.P. 52172
Metepec, México
Tel. (722) 208-34-41
Fax (722) 271-67-57
E-mail: paztoluc@prodigy.net.mx
www.reinadelapaztoluca.com.mx

PREFACIO

En el libro del Apocalipsis cuenta San Juan cómo habiendo visto y oído aquello que le había sido revelado, se postró en adoración a los pies del Ángel de Dios (Cf. Ap. XXII, 8). Postrarse o arrodillarse ante la majestad de la presencia de Dios, en humilde adoración, era una actitud de reverencia que Israel tomaba siempre ante la presencia del Señor. Dice el primer libro de los Reyes: «Cuando Salomón hubo acabado de dirigir al Señor esta oración y esta súplica, levantóse de delante del altar del Señor, donde estaba arrodillado con las manos tendidas al cielo, se puso de pie y bendijo a toda la asamblea de Israel» (I Reyes VIII, 54–55). La postura de la súplica del rey es clara: se hallaba de rodillas ante el altar.

La misma tradición puede verse también en el Nuevo Testamento donde vemos a Pedro ponerse de rodillas delante de Jesús (Cf. Lc. V, 8); también a Jairo, para pedirle que cure a su hija (Lc. VIII, 41); al samaritano cuando regresa a agradecerle y a María, hermana de Lázaro, para pedirle por la vida de éste (Jn. XI, 32). La misma actitud de postración ante el estupor de la presencia y revelación divinas se advierte a lo largo del Apocalipsis (Ap. V, 8, 14 y XIX, 4).

Intimamente relacionada con esta tradición, se hallaba la convicción de que el Templo Santo de Jerusalén era la morada de Dios y por lo tanto era necesario estar en él con actitudes corporales que expresaran un profundo sentimiento de humildad y de reverencia en la presencia del Señor.

También en la Iglesia, la convicción profunda de que bajo las Especies Eucarísticas el Señor está verdadera y realmente presente, y la creciente praxis de conservar la Santa Comunión en los tabernáculos, contribuyó a la práctica de arrodillarse en actitud de humilde adoración del Señor presente en la Eucaristía.

En efecto, respecto de la presencia real de Cristo bajo las Especies Eucarísticas, el Concilio de Trento proclamó «que en el nutricio Sacramento de la Santísima Eucaristía, después de la consagración del pan y del vino, bajo estas especies está contenido verdadera, real y sustancialmente nuestro Señor Jesucristo» («in almo sanctae Eucharistiae sacramento post panis et vini consacrationem Dominum nostrum Iesum Christum verum Deum atque hominem vere, realiter et substantialiter sub specie illarum rerum sensibilium contineri» [DS 1651]).

Por su parte, Santo Tomás de Aquino ya había llamado a la Eucaristía latens Deitas (Santo Tomás de Aquino, Himno "Adoro Te devote"). Y la fe en la presencia real de Cristo bajo las Especies Eucarísticas pertenecía ya a la esencia de la fe de la Iglesia Católica y era parte intrínseca de la identidad católica. Era evidente que no se podía edificar la Iglesia si esa fe venía a estar aún mínimamente menoscabada.

Por esto la Eucaristía, pan transubstanciado en Cuerpo de Cristo y vino en Sangre de Cristo, Dios en medio de nosotros, debía ser recibida con estupor, máxima reverencia y actitud de humilde adoración. El Papa Benedicto XVI subraya, recordando las palabras de San Agustín «nemo autem illam carnem manducat, nisi prius adoraverit; peccemus non adorando» («Ninguno coma esa Carne si antes no la adoró. Pecamos si no la adoramos». Enarrationes in Psalmos 89, 9; CCLXXXIX, 1385), que «recibir la Eucaristía significa ponerse en actitud de adoración hacia Aquél que recibimos (...) sólo en la adoración puede madurar una recepción profunda y verdadera» (Sacramentum Caritatis 66).

En continuidad con esta tradición, es evidente que se volvía coherente e indispensable asumir gestos y actitudes tanto del cuerpo como del espíritu que facilitaran el silencio, el recogimiento, la humilde aceptación de nuestra pobreza delante de la infinita grandeza y santidad de Aquél que nos sale al encuentro bajo las Especies Eucarísticas. El mejor modo para expresar nuestro sentimiento de reverencia hacia el Señor Eucarístico era el de seguir el ejemplo de Pedro que, como nos cuenta el Evangelio, se arrojó de rodillas delante del Señor y dijo: «Señor, apártate de mí que soy un pecador» (Lc. V, 8).

Ahora bien, se nota que en algunas iglesias tal práctica se hace cada vez más rara y los responsables no sólo imponen a los fieles el recibir la Sagrada Eucaristía de pie, sino que incluso han quitado los reclinatorios de los bancos obligándolos a permanecer sentados o de pie, aun en el momento de la elevación de las Especies Eucarísticas presentadas para la adoración. Es extraño que tales procedimientos hayan sido adoptados, en las diócesis, por los responsables de la liturgia o por los párrocos en las iglesias, sin haber hecho la más mínima consulta a los fieles, a pesar de que, hoy más que nunca, se hable en muchos ambientes de democracia en la Iglesia.

Al mismo tiempo, haciendo referencia ahora a la Comunión en la mano, es necesario reconocer que se trata de una práctica introducida de forma abusiva y apresurada en algunos ambientes de la Iglesia inmediatamente después del Concilio, que ha cambiado la secular práctica precedente y que se ha convertido en la práctica regular para toda la Iglesia. Se justificaba tal cambio diciendo que reflejaba mejor el Evangelio o la práctica antigua de la Iglesia.

Es verdad que si se recibe sobre la lengua, se podría de recibir también en la mano, ya que esta parte del cuerpo tiene en sí igual dignidad. Algunos, para justificar tal práctica, se refieren a las palabras de Jesús: «tomad y comed» (Mc. XIV, 22; Mt. XXVI, 26). Cualesquiera sean las razones para sostener esta práctica, no podemos ignorar lo que sucede a nivel mundial en donde es adoptada: este gesto contribuye a un gradual y creciente debilitamiento de la actitud de reverencia hacia las Sagradas Especies Eucarísticas. La práctica precedente, en cambio, preservaba mejor ese sentido de reverencia. En vez, han penetrado una alarmante falta de recogimiento y un espíritu de general distracción. Ahora pueden verse con frecuencia comulgantes que regresan a sus lugares como si nada extraordinario hubiese ocurrido. Aún más distraídos están los niños y adolescentes. En muchos casos no se nota el sentido de seriedad y silencio interior que deben hacer notar la presencia de Dios en el alma.

Se dan, por otra parte, abusos: unos llevan las Sagradas Especies para guardarlas como souvenir, otros las venden, o, peor aún, hay quien las lleva para profanarlas en ritos satánicos. Estas situaciones han sido constatadas. Incluso después de las grandes concelebraciones, aun en Roma, se encontraron muchas veces la Sagradas Especies tiradas por el suelo.

Esta situación no nos lleva sólo a reflexionar sobre la grave pérdida de fe, sino también sobre los ultrajes y ofensas hechos al Señor que se digna salir a nuestro encuentro para volvernos semejantes a Él, a fin de que se refleje en nosotros la santidad de Dios.

El Papa habla de la necesidad no sólo de entender el verdadero y profundo significado de la Eucaristía, sino también de celebrarla con dignidad y reverencia. Dice que es necesario ser conscientes de la importancia de «de los gestos y de las posturas, como es el arrodillarse en los momentos prominentes de la oración Eucarística» (Sacramentum Caritatis 65). Además de ello, hablando de la recepción de la Santa Comunión, invita a todos a «hacer lo posible para que el gesto en su simplicidad corresponda a su valor de encuentro personal con el Señor Jesucristo en el Sacramento» (Sacramentum Caritatis 50).

En esta perspectiva, es de apreciar el opúsculo escrito por S. E. Mons. Athanasius Schneider, Obispo Auxiliar de Karaganda en Kazajstán, bajo el muy sugestivo título de Dominus est. Este pequeño libro quiere contribuir a la discusión actual sobre la Eucaristía, sobre la presencia real y substancial de Cristo bajo las Especies Consagradas del pan y del vino. Es significativo que Mons. Schneider inicie su Presentación con una nota personal recordando la profunda fe eucarística de su madre y de otras dos mujeres; fe conservada en medio de los numerosos sufrimientos y sacrificios que la pequeña comunidad católica de aquel país padeció en los años de la persecución soviética. Partiendo de esta experiencia personal, que suscitó en él una gran fe, estupor y devoción por el Señor presente en la Eucaristía, nos presenta un excursus histórico–teológico que ilustra cómo la práctica de recibir la Santa Comunión en la boca y de rodillas fue acogida y practicada por la Iglesia durante un largo período de tiempo.

Creo que ha llegado el momento de revalorizar dicha práctica, y de rever y —si fuera necesario— abandonar, la práctica actual que, por otra parte, no fue, de hecho, indicada ni en la Sacrosanctum Concilium, ni por los Padres Conciliares, sino que fue aceptada a partir de la introducción abusiva que de ella se hizo en algunos países. Hoy más que nunca, es necesario ayudar a los fieles a renovar una fe viva en la presencia real de Cristo bajo las Especies Eucarísticas con el fin de reforzar así la vida misma de la Iglesia y de defenderla en medio de las peligrosas distorsiones de la fe que tal situación continúa creando.

Las razones para dar este paso deben ser no tanto de orden académico cuanto de orden pastoral —espirituales como también litúrgicas—; en una palabra, lo que más edifique del punto de vista de la fe. Mons. Schneider en este sentido muestra un encomiable coraje, pues ha sabido captar el verdadero significado de las palabras de San Pablo: «que todo se haga para la edificación» (I Cor. XIV, 26).

✠ Malcolm Ranjith
Secretario de la Congregación del Culto Divino

I
«Christus vincit, Christus regnat, Christus imperat»

Mujeres «eucarísticas» y la Sagrada Comunión durante la clandestinidad soviética

El régimen comunista soviético, que duró cerca de 70 años (1917–1991), tenía la pretensión de establecer una suerte de paraíso en la tierra. Pero este reino no podía tener consistencia ya que se fundaba en la mentira, en la violación de la dignidad del hombre, en la negación e incluso en el odio a Dios y a Su Iglesia. Era un reino donde Dios y los valores espirituales no podían y no debían tener ningún espacio. Cualquier signo que pudiera traer a la memoria de los hombres a Dios, a Cristo o a la Iglesia, era arrancado de la vida pública y de la vista de los hombres. Sin embargo existía una realidad que continuamente recordaba a los hombres la presencia de Dios: el sacerdote. Por esta razón el sacerdote no debía ser visible; es más, no debía existir.

Para los perseguidores de Cristo y de su Iglesia, ésta era la persona más peligrosa. Tal vez ellos, implícitamente, conocían la razón por la cual debía ser considerado así. La verdadera razón era ésta: Dios sólo podía ser dado a los hombres por el sacerdote, el sólo era capaz darles a Cristo de la manera más concreta y directa posible, es decir, a través de la Eucaristía y de la Sagrada Comunión. Por ello, se prohibía la celebración de la Santa Misa. Pero ningún poder humano estaba en condiciones de vencer la potencia Divina, que operaba en el misterio de la Iglesia y sobre todo en los sacramentos.

Durante aquellos años sombríos, la Iglesia, en el inmenso imperio soviético, estaba obligada a vivir en la clandestinidad. Pero lo más importante era esto: la Iglesia estaba viva, más aún, vivísima, a pesar de que le faltaran las estructuras visibles, a pesar de que le faltaran los edificios sacros, a pesar de que hubiera una enorme escasez de sacerdotes. La Iglesia estaba vivísima porque la Eucaristía no le faltaba completamente —por más que fuera raramente accesible a los fieles—, porque no le faltaban almas con fe sólida en el Misterio Eucarístico, porque no le faltaban mujeres, frecuentemente madres y abuelas, con un alma «sacerdotal» que custodiaban e incluso administraban la Eucaristía con amor extraordinario, con delicadeza y con la máxima reverencia posible, en el espíritu de los cristianos de los primeros siglos, el cual se expresaba en el adagio: «*cum amore ac timore*».

Entre los numerosos ejemplos de mujeres «eucarísticas» del tiempo de la clandestinidad soviética, serán presentados aquí los de tres mujeres conocidas personalmente por el autor: *María Schneider* (madre del autor), *Pulqueria Koch* (hermana del abuelo del autor) y *María Stang* (parroquiana de la diócesis de Karaganda).

* * *

María Schneider, mi madre, me contaba cómo después de la segunda guerra mundial el régimen estalinista deportó muchos alemanes desde el Mar Negro y desde el río Volga a los montes Urales para emplearlos en trabajos forzados. Todos eran alojados en pobrísimas barracas en un gueto de la ciudad. Había algunos millares de alemanes católicos. Frecuentemente, en el máximo secreto, se introducían entre ellos algunos sacerdotes católicos para administrar los sacramentos. Lo hacían arriesgando la propia vida. Entre los sacerdotes que venían más frecuentemente estaba el Padre *Alexis Saritski* (sacerdote ucraniano greco–católico birritualista, muerto mártir el 30 de octubre de 1963 cerca de Karaganda y beatificado por el Papa Juan Pablo II en el año 2001). Los fieles lo llamaban afectuosamente «el vagabundo de Dios». En el mes de enero del año 1958, en la ciudad de Krasnokamsk, cerca de Perm en los montes Urales, llegó de repente en secreto el Padre *Alexis,* proveniente del lugar de su exilio, la ciudad de Karaganda en Kazajstán.

El Padre *Alexis* se las ingeniaba para que el mayor número posible de fieles estuviera preparado para recibir la Sagrada Comunión. Por ello, se disponía a escuchar las confesiones de los fieles literalmente día y noche: sin dormir ni comer. Los fieles lo exhortaban: «Padre, ¡debe comer y dormir!». Él respondía: «No puedo, porque la policía me puede arrestar de un momento a otro, y entonces muchas personas quedarían sin confesión y, por consiguiente, sin Comunión». Después de que todos se confesaron, el Padre *Alexis* comenzó a celebrar la Santa Misa. De repente resonó una voz: «¡La policía está cerca!». *María Schneider* asistía a la Santa Misa y dijo al sacerdote: «Padre, yo lo puedo esconder, ¡huyamos!». La mujer condujo el sacerdote a una casa fuera del gueto alemán y lo escondió en un cuarto, llevándole algo para comer y le dijo: «Padre, ahora Usted puede finalmente comer y descansar un poco y cuando caiga la noche, huiremos a la ciudad más cercana». El Padre *Alexis* estaba triste porque, si bien todos se habían confesado, no habían podido recibir la Sagrada Comunión, ya que la Santa Misa había sido interrumpida por la policía cuando apenas estaba comenzando. *María Schneider* le dijo: «Padre, todos los fieles harán con mucha devoción y fe la Comunión espiritual y esperamos que Usted pueda volver para darnos la Sagrada Comunión».

Al caer la tarde se comenzó a preparar la fuga. *María Schneider* dejó sus dos hijitos (un niño de dos años y una niña de seis meses) a su madre y llamó a *Pulqueria Koch* (la tía de su marido). Ambas mujeres llamaron al Padre *Alexis* y huyeron 12 kilómetros a través del bosque, en medio de la nieve y del frío a 30 grados bajo cero. Llegaron a una pequeña estación, compraron el pasaje para el Padre *Alexis* y se sentaron en la sala de espera, pues el tren pasaría sólo dentro de una hora. De repente se abrió la puerta y entró un policía que se encaminó directamente al Padre *Alexis*. Cuando estaba delante del Padre, le preguntó: «¿Usted a dónde va?» El sacerdote no pudo responder a causa del sobresalto. No temía por su vida, sino por la vida y el destino de la joven madre *María Schneider*. En cambio la joven mujer respondió: «Es nuestro amigo y lo estamos acompañando. Aquí está su pasaje», y se lo dio al policía. Éste, mirando el pasaje, le dijo al sacerdote: «Por favor, no entre en el último vagón porque será desenganchado del resto del tren en la próxima estación. ¡Buen viaje!». E inmediatamente salió de la sala. El Padre *Alexis* miró a *María Schneider* y le dijo: «¡Dios nos ha enviado un ángel! No olvidaré nunca lo que Usted ha hecho por mí. Si Dios me lo permite, regresaré para darles la Sagrada Comunión y en todas mis Misas rezaré por Usted y sus hijos».

Después de un año, el Padre *Alexis* pudo volver a Krasnokamsk. Esta vez le fue posible celebrar la Santa Misa y dar la Sagrada Comunión a los fieles. *María Schneider* le pidió un favor: «Padre, ¿podría dejarme una Hostia Consagrada, pues mi madre está gravemente enferma y ella quisiera recibir la Comunión antes de morir?». El Padre *Alexis* le dejó una Hostia Consagrada bajo la condición de que se administrara la Sagrada Comunión con el máximo respeto posible. *María Schneider* prometió que así lo haría. Antes de transferirse con su familia en el Kirguistán, *María* administró a su madre enferma la Sagrada Comunión. Para hacerlo se colocó un par de guantes blancos nuevos y con una pequeña pinza dio la Comunión a su madre. En seguida quemó el sobre que contenía la Hostia Consagrada.

* * *

Las familias de *María Schneider* y de *Pulqueria Koch* se mudaron después a Kirguistán. En 1962 el Padre *Alexis* visitó secretamente el Kirguistán y encontró a *María* y *Pulqueria* en la ciudad de Tokmak. Celebró la Santa Misa en la casa de *María Schneider* y, en seguida, otra en la casa de *Pulqueria Koch*. Por gratitud a *Pulqueria*, esta mujer anciana que lo había ayudado a huir en la oscuridad y en el frío invernal de los Urales, el Padre *Alexis* le dejó una Hostia Consagrada, dándole sin embargo una precisa instrucción: «Le dejo una Hostia Consagrada. Haced la devoción de los nueve meses en honor del Sagrado Corazón de Jesús. Cada primer viernes de mes, haga Usted la exposición del Santísimo en su casa, invitando a la adoración a personas de absoluta confianza, todo deberá hacerse en el máximo secreto. Trascurrido el noveno mes, Usted podrá consumir la hostia, pero hágalo con la mayor reverencia». Así fue hecho. Durante nueve meses hubo en Tokmak una adoración eucarística clandestina. También *María Schneider* estaba entre las mujeres adoratrices.

Puestas de rodillas delante de la pequeña Hostia, todas las mujeres adoratrices, mujeres verdaderamente eucarísticas, deseaban ardientemente recibir la Sagrada Comunión. Pero, lamentablemente, había sólo una pequeña Hostia y al mismo tiempo numerosas personas deseosas de comulgar. Por esto el Padre *Alexis* había decidido que, trascurridos los nueve meses, la recibiera sólo *Pulqueria*, y que las otras mujeres hicieran la Comunión espiritual. De todos modos, estas Comuniones espirituales eran muy preciosas pues hacían a estas mujeres «eucarísticas» capaces de transmitir a sus hijos, por así decir, junto a la leche materna una profunda fe y un gran amor a la Eucaristía.

La entrega de esa pequeña Hostia Consagrada a *Pulqueria Koch* en la ciudad de Tokmak en Kirguistán fue la última acción pastoral del Beato *Alexis Saritski*. Apenas hubo vuelto a Karaganda de su viaje misionero en Kirguistán, en el mes de abril del año 1962, fue arrestado por la policía secreta y enviado al campo de concentración de Dolinka, en las proximidades de Karaganda. Después de muchos maltratos y humillaciones, obtuvo la palma del martirio «*ex aerumnis carceris*», el día 30 de octubre de 1963. En este día se celebra su memoria litúrgica en todas las iglesias católicas del Kazajstán y de Rusia; la Iglesia greco–católica ucraniana lo celebra junto con los otros mártires ucranianos el día 27 de junio. Fue un Santo eucarístico que pudo formar mujeres eucarísticas. Estas mujeres eucarísticas eran como flores que habían crecido en la oscuridad del desierto de la clandestinidad, conservando así a la Iglesia verdaderamente viviente.

* * *

El tercer ejemplo de mujer «eucarística» fue el de *María Stang*, una alemana del Volga deportada en Kazajstán. Esta madre y abuela santa tuvo una vida llena de increíbles sufrimientos, de continuas renuncias y sacrificios. Sin embargo, fue una persona con mucha fe, esperanza y alegría espiritual. Ya desde joven quería dedicar su vida a Dios. A causa de la persecución comunista y de la deportación, el camino de su vida fue doloroso. *María Stang* escribe en sus memorias: «Nos han quitado los sacerdotes. En la aldea cercana había todavía una iglesia, pero lamentablemente ya no había más sacerdote, no estaba más el Santísimo. Así, sin sacerdote y sin Santísimo ¡la iglesia era tan fría! No me quedaba otra cosa que llorar amargamente». Desde entonces *María* comenzó a rezar todos los días y a ofrecer sacrificios a Dios con esta oración: «Señor, ¡danos de nuevo un sacerdote, danos la Santa Comunión! Sufro todo con gusto por Tu amor, ¡oh Corazón Sacra-

Beato Alexis Saritski, sacerdote y mártir,
un Santo eucarístico del tiempo de la clandestinidad soviética)

tísimo de Jesús!». En el remoto lugar de deportación del Kazajstán oriental, *María Stang* reunía secretamente en su casa los domingos otras mujeres para rezar. Durante esas asambleas dominicales, las mujeres frecuentemente lloraban y rezaban así: «María, santísima y queridísima Madre nuestra, ¡mira que pobres somos! ¡Danos nuevamente sacerdotes, maestros y pastores!».

A partir del año 1965 *María Stang* pudo viajar una vez al año a Kirguistán (a más de mil kilómetros), donde vivía un sacerdote católico en exilio. En las remotas aldeas del Kazajstán oriental, los católicos alemanes no veían un sacerdote desde hacía más de 20 años. *María* escribía: «Cuando llegué a Frunse (hoy Bishkek) en Kirguistán, encontré un sacerdote. Entrando en su casa, vi el tabernáculo. No había imaginado que en mi vida aún vería al tabernáculo y al Señor eucarístico. Me arrodillé y comencé a llorar. Luego me acerqué al tabernáculo y lo besé». Antes de regresar a su aldea en Kazajstán, el sacerdote le dio una píxide con algunas Hostias Consagradas. La primera vez, cuando los fieles se reunieron en presencia del Santísimo, *María* les dijo: «Tenemos una alegría y una felicidad que nadie puede imaginar: tenemos con nosotros al Señor Eucarístico y podemos recibirlo». Las personas presentes respondieron: «No podemos recibir la Comunión, pues hace ya muchos años que no nos confesamos». Luego se reunieron en consejo y tomaron la siguiente decisión: «Los tiempos son muy difíciles y dado que se nos ha traído el Santísimo desde más de mil kilómetros hasta aquí, Dios nos será favorable. Nos pondremos espiritualmente en un confesionario delante del sacerdote. Haremos un acto de contrición perfecta y cada uno se impondrá una penitencia». Así lo hicieron todos y luego recibieron la sagrada Comunión arrodillados y con lágrimas en los ojos. Eran lágrimas de contrición y de alegría al mismo tiempo.

Durante 30 años *María Stang* reunía todos los domingos los fieles para la oración, enseñaba el catecismo a niños y adultos, preparaba los esposos al sacramento del matrimonio, oficiaba las exequias fúnebres y, sobre todo, administraba la Sagrada Comunión. Cada vez distribuía la Comunión con corazón ardiente y con temor reverencial. Era una mujer con un alma verdaderamente sacerdotal. ¡Una mujer eucarística!

II

«*Cum amore ac timore*»

Algunas observaciones histórico-litúrgicas acerca de la Sagrada Comunión

I

El gran Papa Juan Pablo II en su última encíclica, intitulada *Ecclesia de Eucharistia*, dejó a la Iglesia una ardiente admonición que suena como un verdadero testamento:

> «*Debemos estar atentos con todo esmero en no atenuar alguna dimensión o exigencia de la Eucaristía. Así nos mostraremos verdaderamente conscientes de la grandeza de este don. (...) ¡No hay peligro de exagerar el cuidado que debemos a este Misterio!*». (nº 61)

La conciencia de la grandeza del Misterio Eucarístico se muestra de modo particularmente evidente en la manera con la cual es distribuido y recibido el

Cuerpo del Señor. Esto se hace evidente en el rito de la Comunión en cuanto constituye la consumación del sacrificio eucarístico. Para el fiel es el punto culminante del encuentro y de la unión personal con Cristo, real y substancialmente presente bajo el humilde velo de las Especies Eucarísticas. Este momento de la Liturgia Eucarística tiene verdaderamente una importancia eminente que comporta una especial exigencia pastoral incluso en el aspecto ritual del gesto.

II

Consciente de la grandeza e importancia del momento de la Sagrada Comunión, la Iglesia en su milenaria tradición ha buscado una expresión ritual que pudiese, en el modo más perfecto posible, dar testimonio de su fe, de su amor y de su respeto. Esto se ha verificado cuando, *siguiendo las huellas de un desarrollo orgánico*, al menos a partir del siglo VI, la Iglesia comenzó a adoptar la modalidad de distribuir las Sagradas Especies Eucarísticas directamente en la boca. Así lo testimonian la biografía del Papa Gregorio Magno (pontífice entre 590–604)[1] y una indicación del mismo Papa[2]. El sínodo de Córdoba del año 839 condenó la secta de los llamados «casia-

[1] Cf. *Vita S. Gregorii*, PL 75, 103.

[2] En su obra *Diálogos* III (PL 77, 224) el Papa Gregorio Magno cuenta cómo el Papa Agapito (535–536) había distribuido la Sagrada Comunión en la boca.

nos» por rehusarse a recibir la Sagrada Comunión directamente en la boca.[3] Más tarde el sínodo de Ruan en el año 878 reiteró la norma vigente sobre la distribución del Cuerpo del Señor en la boca, amenazando a los ministros sagrados de suspenderlos de sus oficios si distribuyeran a los laicos la Sagrada Comunión en la mano.[4]

En Occidente, el gesto de postrarse y arrodillarse antes de recibir el Cuerpo del Señor se observa en los ambientes monásticos ya a partir del siglo VI (por ejemplo en los monasterios de San Columbano).[5] Más tarde (en los siglos X y XI), este gesto se difundió aún más.[6]

Al fin de la edad patrística, la práctica de recibir la Sagrada Comunión directamente en la boca se volvió por lo tanto una práctica cada vez más difundida y casi universal. Este desarrollo orgánico puede ser considerado como *un fruto de la espiritualidad y de la devoción eucarística del tiempo de los Padres de la Iglesia.* Efectivamente, existen diversas exhortaciones de los Padres de la Iglesia sobre la máxima veneración y cuidado hacia el Cuerpo Eucarístico del Señor, en particular a propósito de los fragmentos del Pan Consagrado. Cuando se comenzó a notar

[3] Cf. Jungmann J. A. *Missarum sollemnia. Eine genetische Erklärung der römischen Messe,* Wien 1948, II, p. 463, n. 52.

[4] Cf. Mansi X, 1199-1200.

[5] Cf. *Regula coenobialis,* 9.

[6] Cf. Jungmann, *ibid.*, pp. 456-457; p. 458, n. 25.

que ya no existían más las condiciones para poder garantizar las exigencias del respeto y del carácter altamente sagrado del Pan Eucarístico, *la Iglesia, ya en Oriente, ya en Occidente, con un admirable consenso y casi instintivamente, percibió la urgencia de distribuir la sagrada Comunión a los laicos sólo en la boca.*

El conocido liturgista J. A. Jungmann explica que, a causa de la distribución de la Comunión directamente en la boca, se eliminaron varias preocupaciones: que los fieles tengan las manos limpias, la preocupación aún más apremiante de que ninguna partícula consagrada se pierda, la necesidad de purificar la palma de la mano después de recibir el sacramento. El paño de la Comunión, y más tarde el platillo de comunión, serán expresión de un cuidado creciente con respecto al Sacramento Eucarístico.[7]

A este desarrollo ha contribuido igualmente una creciente profundización de la fe en la presencia real, que en Occidente, por ejemplo, se ha manifestado en la práctica de la adoración del Santísimo Sacramento solemnemente expuesto.

III

El Cuerpo y la Sangre Eucarísticos son el don por excelencia que Cristo dejó a la Iglesia, su Esposa. Juan Pablo II habla en la encíclica *Ecclesia de*

[7] Cf. *loc. cit.*, pp. 463-464.

Eucharistia del «estupor adorante ante el don inconmensurable de la Eucaristía» (nº 48), el cual debe manifestarse también en los gestos externos:

> «*En la estela de este elevado sentido del misterio se comprende cómo la fe de la Iglesia en el Misterio Eucarístico se haya expresado en la historia no sólo a través de la instancia de una actitud interior de devoción, sino también a través de una serie de expresiones externas*» (ibid. 49).

Por eso, la actitud más adecuada a este don es la de receptividad, *la actitud de la humildad del centurión, la actitud de dejarse nutrir, justamente la actitud del niño pequeño*. Esto es expresado también por las famosas palabras de un himno eucarístico: «*El pan de los ángeles se vuelve pan de los hombres. (...) ¡Oh cosa admirable: el siervo pobre y humilde come al Señor!*».[8]

La palabra de Cristo que nos invita a acoger el reino de Dios como niños (*Lc*. XVIII, 17) puede encontrar su ilustración, de modo muy sugestivo y bello, también en el gesto de recibir el Pan Eucarístico directamente en la boca y de rodillas. Este rito manifiesta en modo oportuno y feliz *la actitud interior*

[8] «*Panis angelicus fit panis hominum. O res mirabilis manducat Dominum servus pauper et humili*»: Himno *Sacris sollemniis* del oficio de lecturas en la solemnidad del Cuerpo y Sangre del Señor.

del niño que se deja nutrir, unida al gesto de humildad del centurión y al gesto de estupor adorante.

Juan Pablo II ha puesto en evidencia la necesidad de expresiones externas de respeto hacia el Pan Eucarístico:

> «*Si bien la lógica del "banquete" inspira familiaridad, la Iglesia nunca ha cedido a la tentación de banalizar esta "intimidad" con su Esposo olvidándose de que Él es también su Señor. (...) El banquete eucarístico es realmente un banquete "sagrado", en el que la simplicidad de los signos esconde el abismo de la santidad de Dios. El pan que es fraccionado sobre nuestros altares (...) es pan de los ángeles, al cual no nos podemos acercar sino con la humildad del centurión del Evangelio*».[9]

La actitud del niño es la actitud más verdadera y profunda de un cristiano ante su Salvador, que lo nutre con su Cuerpo y con su Sangre, según estas conmovedoras expresiones de Clemente de Alejandría:

> «*El Logos es todo para el niño: padre, madre, pedagogo, nutriente. "¡Comed, dice Él, mi Carne y bebed mi Sangre!" (...) ¡Oh increíble misterio!*».[10]

[9] Encíclica *Ecclesia de Eucharistia,* nº 48.
[10] Clemens Alexandrinus, Paedagogus I, 42, 3.

Es posible suponer que Cristo durante la Última Cena haya dado el pan a cada Apóstol directamente en la boca y no sólo a Judas Iscariote (*Jn.* XIII, 26–27). Efectivamente existía una práctica tradicional en el ambiente del Medio Oriente en el tiempo de Jesús y que aún se conserva en nuestros días: el anfitrión nutre a sus huéspedes con su propia mano, poniendo en su boca un pedazo simbólico de alimento.

Otra consideración bíblica nos la da el relato de la vocación del profeta Ezequiel. Ezequiel recibió la palabra de Dios, simbólicamente, directamente en la boca: «"Abre la boca y come lo que te presento." Miré y vi una mano tendida hacia mí que tenía un rollo. (...) Yo abrí la boca y me hizo comer el rollo. Lo comí y fue para mi boca dulce como la miel» (*Ez.* II, 8–9; III, 2-3).

En la Sagrada Comunión recibimos la Palabra hecha carne, hecha alimento para nosotros pequeños, para nosotros niños. Por lo tanto, cuando nos acercamos a la Sagrada Comunión, podemos acordarnos de aquel gesto del profeta Ezequiel o también de las palabras del *Salmo LXXXI, 11,* que se encuentran en la Liturgia de las Horas de la solemnidad del Cuerpo y Sangre de Cristo: «Abre tu boca y yo la llenaré» (*dilata os tuum, et implebo illud*).

Cristo nos nutre verdaderamente con su Cuerpo y su Sangre en la Sagrada Comunión, lo que en la edad patrística era comparado a la lactancia materna, como lo muestran estas sugestivas palabras de San Juan Crisóstomo:

«Con este Misterio Eucarístico Cristo se une a cada fiel, y aquellos a los que ha generado los nutre Él mismo sin confiarlos a nadie más. ¿No veis con qué impulso los recién nacidos acercan sus labios al pecho materno? Pues bien, también nosotros aproximémonos con tal ardor a esta Sagrada Mesa y al pecho de esta bebida espiritual. ¡Es más, hagámoslo con un ardor mayor que el de los lactantes!».[11]

El gesto de una persona adulta que se arrodilla y abre su boca para dejarse nutrir como un niño, corresponde de manera feliz e impresionante a las admoniciones de los Padres de la Iglesia sobre la actitud que hay que tener durante la Sagrada Comunión, es decir: «*cum amore ac timore!*».[12]

El gesto más típico de adoración es el gesto bíblico de arrodillarse, como lo recibieron y practicaron los primeros cristianos. Para Tertuliano, que vivió entre los siglos II y III, la más alta forma de oración es el acto de adoración de Dios, el cual se debe manifestar también en la postura de la genuflexión:

«Oran todos los ángeles, oran todas las creaturas, oran los animales domésticos y las fieras, y doblan las rodillas».[13]

[11] *In Ioan. hom.* 82, 5.

[12] Cf. S. Cyprianus, *Ad Quirinum*, III, 94; S. Basilius M., *Regulae brevius* tract., 172 (PG 31, 1196); S. Ioannes Chrys., *Hom. Nativ.*, 7 (PG 49, 360).

[13] *De oratione*, 29.

El Papa Juan Pablo II, arrodillado, adora la Hostia Sagrada antes de comulgar (2 de febrero del 2004, Basílica Vaticana)

San Agustín advertía que pecamos si no adoramos el Cuerpo Eucarístico del Señor cuando lo recibimos:

> *«Ninguno coma esa Carne si antes no la adoró. Pecamos si no la adoramos».*[14]

En un antiguo *Ordo communionis* de la tradición litúrgica de la Iglesia copta se establece:

> *«Que todos se postren en tierra, niños y grandes, y así comience la distribución de la Comunión».*[15]

Según las Catequesis Mistagógicas atribuidas a San Cirilo de Jerusalén, el fiel debe recibir la Comunión con un gesto de adoración y veneración:

> *«No extiendas las manos, sino, con un gesto de adoración y veneración* (ôñüπù πñüóêõíçóåõò êáß óåâÜóìáôïò) *acércate al Cáliz de la Sangre de Cristo».*[16]

[14] S. Augustinus, *Enarr. in Ps.* 98, 9 (PL 37, 1264): «*Nemo illam carnem manducat, nisi prius adoraverit... peccemus non adorando*».

[15] *Collectiones Canonum Copticae*: H. Denzinger, Ritus Orientalium, Würzburg 1863, vol. I, p. 405: «*Omnes prosternent se adorantes usque ad terram, parvi et magni incipientque distribuere Comunionem*».

[16] *Catech. Myst.*, 5, 22.

San Juan Crisóstomo exhorta a quienes se acercan al Cuerpo Eucarístico del Señor a imitar los Magos del Oriente en el espíritu y en el gesto de adoración:

> *«Acerquémonos, pues, a Él con fervor y con ardiente caridad. A este Cuerpo, a pesar de que se encontraba en un pesebre, lo adoraron los mismos Magos. Ahora bien, aquellos hombres, sin conocimiento de la religión y siendo bárbaros, adoraron al Señor con gran temor y temblor. Entonces nosotros que somos ciudadanos del cielo ¡busquemos, al menos imitar estos bárbaros! Tú, a diferencia de los Magos, no ves simplemente este Cuerpo, sino que has conocido toda su fuerza y todo su poder salvífico. Por lo tanto, estimulémonos a nosotros mismos, temamos y mostremos una piedad mayor que la de los Magos».*[17]

Ya en el siglo VI en las Iglesias griegas y siroorientales se prescribía una triple postración antes de acercarse a la Sagrada Comunión.[18]

Sobre la estrecha relación entre la adoración y la Sagrada Comunión, hablaba así el Cardenal Ratzinger de modo sugestivo: «Nutrirse [de la Eucaristía] (…) es un evento espiritual que implica toda la realidad humana. "Nutrirse" de Ella significa adorarla. Por esto la ado-

[17] *In 1 Cor. hom.* 24, 5.
[18] Cf. Jungmann, *op. cit.*, p. 458, n. 25.

ración (...) ni siquiera se pone en el mismo plano que la Comunión: la Comunión alcanza su profundidad sólo cuando es sostenida y comprendida por la adoración»[19] Por lo tanto, ante la humildad de Cristo y de su amor comunicado a nosotros en las Especies Eucarísticas, no podemos más que arrodillarnos. El Cardenal Ratzinger observa además: «El doblar las rodillas ante la presencia del Dios vivo es irrenunciable».[20] En el Apocalipsis, el libro de la Liturgia Celestial, el gesto de la postración de los veinticuatro ancianos ante el Cordero puede ser el modelo y el criterio[21] de cómo la Iglesia entera deba tratar al Cordero de Dios cuando los fieles se acercan a Él y lo tocan bajo las Especies Eucarísticas.

Las normas litúrgicas de la Iglesia no exigen un gesto especial de adoración por parte de aquellos que comulgan de rodillas, puesto que el hecho de arrodillarse expresa por sí mismo la adoración. En cambio aquellos que comulgan de pie deben hacer antes un gesto de reverencia, o sea, de adoración.[22]

María, la Madre del Señor, es el modelo de la actitud interior y exterior en el recibir el Cuerpo del Señor. En el momento de la Encarnación del Hijo de Dios, Ella mostraba la máxima receptividad y humildad: «*Ecce, ancilla*». El gesto exterior más acorde a esta actitud es el

[19] *Introduzione allo spirito della liturgia*. Cinisello Balsamo 2001, p.86.

[20] *Introduzione*, o.c., p. 187.

[21] *Introduzione*, o.c., p. 182.

[22] Cf. Instrucción *Eucharisticum mysterium*, n. 34; Instrucción *Inaestimabile donum*, n. 11.

de estar de rodillas (*como se encuentra no raramente en la iconografía de la Anunciación*). El modelo de la adoración amorosa de la Virgen María «*debe inspirar toda nuestra Comunión Eucarística*» dijo Juan Pablo II.[23] El momento de recibir el Cuerpo Eucarístico del Señor es ciertamente la ocasión más propicia para el fiel, en esta vida terrena, para exteriorizar su actitud interior «abismándose en la adoración y en un amor sin límites».[24]

En un sentido similar hablaba también el Beato Juan XXIII: «El Beato Eymard dejó escrito que siguiendo a Jesús no se deja nunca a María, y este hermoso título de Nuestra Señora del Sacramento

> *nos pone a todos de rodillas, como niños que siguen el ejemplo de su buena madre, delante al gran misterio de amor de su bendito Hijo Jesús*».[25]

El modo de distribuir la Comunión —a veces no apreciado suficientemente en todo su valor— reviste en realidad una importancia significante y tiene consecuencias para la fe y devoción de los fieles, en cuanto refleja visiblemente la fe, el amor y la delicadeza con la cual la Iglesia trata su Divino Esposo y Señor en las humildes Especies de pan y vino.

La conciencia de que en las humildes Especies Eucarísticas está realmente presente toda la majes-

[23] Encíclica *Ecclesia de Eucharistia*, n. 55.
[24] Encíclica *Ecclesia de Eucharistia*, n. 62.
[25] *La Madonna e Papa Giovanni*, Catania 1969, p. 60.

tad de Cristo, Rey de los cielos, delante del cual se postran en adoración todos los ángeles, era vivísima en los tiempos de los Padres de la Iglesia. Entre tantas voces, basta citar la siguiente conmovedora admonición de San Juan Crisóstomo:

> «*Ya aquí este misterio te convierte la tierra en cielo. Por eso abre las puertas del cielo y mira; más bien, no del cielo, sino del cielo de los cielos, y entonces podrás ver la verdad de cuanto se te ha dicho. En efecto, como en un palacio, la parte más suntuosa de todas no está dada ni por las paredes ni por el techo de oro, sino por el cuerpo del rey que se sienta sobre el trono; lo mismo vale para el Cuerpo del Rey que está en los cielos. Y bien, este Cuerpo te es posible verlo ahora aquí en la tierra. En efecto, no te muestro ángeles, ni arcángeles, ni cielos, ni cielos de los cielos, sino el mismo Señor de todos éstos*».[26]

IV

Los Padres de la Iglesia mostraron una viva preocupación por evitar que se pierda la más pequeña partícula del Pan Eucarístico, como exhortaba San Cirilo de Jerusalén de manera tan sugestiva:

> «*Sé vigilante a fin de que no pierdas nada del Cuerpo del Señor. Si dejaras caer algo, de-*

[26] *In 1 Cor. Hom.* 24, 5.

bes considerarlo como si hubieras cortado un miembro de tu propio cuerpo. Dime, te ruego, si alguno te diera granitos de oro, ¿acaso no los tendrías con la máxima cautela y diligencia, cuidando no perder nada? ¿No deberías cuidar con cautela y vigilancia aún mayor a fin de que nada, ni siquiera una migaja del Cuerpo del Señor pudiera caerse, porque es mucho más precioso que el oro y que las gemas?».[27]

Ya Tertuliano testimoniaba la angustia y el dolor de la Iglesia (en los siglos II y III) si se perdía alguna partícula:

«Padecemos angustiosamente si algo del cáliz o del pan cae a tierra».[28]

El extremo cuidado y veneración por los fragmentos del Pan Eucarístico era un fenómeno característico en las comunidades cristianas conocidas por Orígenes en el tercer siglo:

«Vosotros que habitualmente asistís a los Divinos Misterios recibiendo el Cuerpo del Señor, sabéis cómo debéis mirar, con todo cuidado y veneración, que no caiga ni siquiera una partícula por tierra y no se pierda nada del Don Consagrado».[29]

[27] S. Cyrillus Hier., *Catech. Myst., 5, 21 (PG 33, 1125).*

[28] *Tertullianus, De corona,* 3: *«Calicis aut panis aliquid decuti in terram anxie patimur».*

[29] *In Ex. hom.* 13,3.

El hecho de que una partícula eucarística cayera por tierra era considerado por San Jerónimo como algo preocupante y espiritualmente peligroso:

> «*Cuando vamos a recibir el Cuerpo de Cristo —quien es fiel lo entiende— si cayera una partícula por tierra nos ponemos en peligro*».[30]

En la tradición litúrgica de la Iglesia copta se encuentra la siguiente advertencia:

> «*No hay ninguna diferencia entre las partes mayores o menores de la Eucaristía, incluso aquellas minúsculas que no se pueden percibir con la agudeza de la vista merecen la misma veneración y poseen la misma dignidad que el Pan entero*».[31]

En algunas Liturgias orientales el Pan Consagrado es designado con el nombre de «perla» (*margarita*). Así, en las *Collectiones Canonum Copticae*, se dice: «*¡Dios no permita que nada de las perlas o partículas consagradas quede adherida a los dedos o caiga por tierra!*».[32]

[30] *In Ps.* 147,14.

[31] «*Nulla differentia est inter maiores aut minores Eucharistiae partes, etiam minutissimas, adeo ut oculorum acie animadverti non possint, quae eandem venerationem merentur eandemque proprsus dignitatem habent ac totum ipsum*»: Denzinger, o.c., vol. I, p. 96 (observaciones escritas por Ferge Allah Elchmini en el año 1239).

[32] «*Deus prohibeat, ne quid ex margaritis seu ex particulis consecratis adhaereat, aut in terram decidat.*» (Denzinger, o.c., vol. I, p. 95).

En la tradición de la Iglesia siríaca, el Pan Eucarístico era comparado con el fuego del Espíritu Santo. Se tenía viva conciencia de fe en la presencia de Cristo incluso en las más pequeñas partículas del Pan Eucarístico, como lo atestigua San Efrén:

> *«Jesús ha llenado el pan de Sí mismo y de Espíritu, y lo llamó su Cuerpo vivo. Lo que ahora os he dado, decía Jesús, no lo consideréis pan ni piséis sus partículas. Aún una mínima partícula de este Pan puede santificar millones de personas y basta para dar la vida a todos los que lo comen».*[33]

La extrema vigilancia y cuidado de la Iglesia de los primeros siglos para que no se perdiese ningún fragmento del Pan Eucarístico era un fenómeno universalmente difundido: Roma (cf. s. Hipólito, *Traditio apostolica*, 32), África del norte (cf. Tertuliano, *De corona*, 3,4), Galia (cf. s. Cesáreo de Arles, *sermo* 78, 2), Egipto (cf. Orígenes, *In Exodum hom.* 13, 3), Antioquía y Constantinopla (cf. s. Juan Crisóstomo, *Ecloga quod non indige accedendum sit ad divina mysteria*), Palestina (s. Jerónimo, *In Ps.* 147, 14), Siria (s. Efrén, *In hebd. sanctam*, s. 4, 4).

En un tiempo en el que se administraba la Comunión sólo en la boca e incluso estaba prescrito el uso de la patena de la Comunión, el Papa Pío XI

[33] *Sermones in hebdomada sancta*, 4, 4.

ordenó publicar la siguiente apremiante exhortación: «En la administración del Sacramento Eucarístico se debe mostrar un particular celo, a fin de que no se pierdan las partículas de las Hostias consagradas, ya que en cada una de ellas está presente el Cuerpo entero de Cristo. *Por ello, tómese el máximo cuidado para que las partículas no se separen fácilmente de la Hostia y no caigan por tierra, donde —horribile dictu!— se mezclarán con la suciedad y serán pisadas*».[34]

En un momento de tan grande importancia en la vida de la Iglesia, como es la recepción sacramental del Cuerpo del Señor, se debe tener un adecuado cuidado, vigilancia y atención. El gran Papa Juan Pablo II, hablando de la recepción de la Sagrada Comunión, ha constatado «deplorables faltas de respeto hacia las Especies Eucarísticas, faltas que pesan (...) también sobre los pastores de la Iglesia que no hayan cuidado adecuadamente la actitud de los fieles hacia la Eucaristía».[35] Por esto se deben tener en cuenta las circunstancias particulares e históricas que conciernen a los comulgantes, a fin de que no suceda nada que pueda menoscabar el respeto hacia este sacramento, como advertía Santo Tomás de Aquino.[36] Todo sacramento posee este doble e inseparable aspecto: el culto de la adoración Divina y la salvación del hombre.[37] *La forma del rito*

[34] Instructio S. Congregationis de disciplina sacramentorum, del 26.03.1929: AAS 21 (1929) 635.

[35] Carta apostólica *Dominicae cenae* del 24.02.1980, n. 11: *Enchiridion Vaticanum* 7, n. 213.

[36] Cf. *Summa theol.*, III, q. 80, a. 12c.

debe por esto garantizar del modo más seguro posible el respeto y el carácter sagrado de la Eucaristía.

Era justamente este aspecto de unidad entre la disposición interior y su manifestación en el gesto exterior lo que explicaba, con estas palabras tan impresionantes y llenas del fervor de la fe, el Beato Columba Marmion en la siguiente oración dirigida a Jesús Eucarístico:

> «*Señor Jesús, por nuestro amor, para atraernos a Ti, para convertirte en nuestro alimento, Tú escondes tu majestad. Cuanto más escondes tu divinidad, más deseamos adorarte, más deseamos ponernos de rodillas a tus pies con reverencia y amor*».[38]

El Beato Columba Marmion explica la causa de la veneración exterior de las Especies Eucarísticas a partir de la oración de la Iglesia: «Señor danos la gracia de *venerar* los Sagrados Misterios de tu Cuerpo y tu Sangre». ¿Por qué venerar? Porque Cristo es Dios, porque la realidad de las Especies Sagradas es una realidad sagrada y divina. Aquél que se oculta en la Eucaristía es Aquél que es con el Padre y el Espíritu Santo el Ser Infinito, el Omnipotente:

> «*¡Oh Cristo Jesús realmente presente, me prosterno a tus pies; que te sea dada toda la*

[37] Cf. *Summa theol.*, III, q. 60, a. 5c, ad 3.
[38] *Le Christ dans ses mystères*, Paris 1938 chap. XVIII, n. 4.

adoración en el Sacramento que Tú quisiste dejarnos en la vigilia de tu pasión como testimonio del exceso de tu amor!».[39]

V

En la Iglesia antigua los hombres, antes de recibir el Pan Consagrado, debían lavarse la palma de la mano.[40] Además, el fiel se inclinaba profundamente tomando directamente con la boca el Cuerpo del Señor de la palma de la mano derecha (y no de la mano izquierda).[41] La palma de la mano servía, por así decir, como patena o corporal (especialmente para las mujeres). Se lee en un sermón de San Cesáreo de Arles (470-542):

> *«Todos los hombres que deseen comulgar deben lavarse las manos. Y todas las mujeres deben llevar un paño de lino, sobre el cual reciben el Cuerpo de Cristo».*[42]

[39] Cf. *ibid.*

[40] Cf. S. Athanasius, *ep. heort.* 5. Otras indicaciones cf. Jungmann, *op. cit.*, p. 461, n. 43.

[41] Cf. p.e. S. Cyprianus, *Ep.*, 58, 9; S. Cyrillus Hieros., *Cat. Myst.* 5, 21; S. Ioannes Chrys., *In 1 Cor. hom* 25, 5; Theodorus Mops., *Catech. hom.* 16, 27. En el rito de la Comunión en la mano que se practica en las iglesias de rito romano a partir, más o menos del año 1968, se recibe el Pan Eucarístico en la mano izquierda en lugar de hacerlo en la mano diestra como era norma en la antigüedad. Por otra parte, en el actual rito de la Comunión en la mano el fiel mismo toma el Cuerpo del Señor que ha sido puesto en su mano y luego se lo lleva con los dedos a la boca.

[42] *Sermo* 227, 5 (PL 39, 2168).

Habitualmente la palma de la mano era purificada, es decir lavada, después de la recepción del Pan Eucarístico, como es aún norma en la Comunión del clero en el rito bizantino.

La Iglesia antigua velaba para que la recepción del Cuerpo del Señor en la mano fuese acompañada, también exteriormente, por una actitud de profunda adoración, como se lo puede constatar en la siguiente homilía de Teodoro de Mopsuestia:

> «*Cada uno de nosotros se acerca pagando una especie de tributo mediante la adoración, haciendo de este modo una profesión de fe de que está recibiendo el Cuerpo del Rey. Tú, pues, luego de haber recibido el Cuerpo de Cristo en tus propias manos ¡adóralo con amor grande y sincero! ¡Míralo con tus ojos! ¡Bésalo!*».[43]

En los antiguos cánones de la Iglesia caldea aun al sacerdote celebrante le *estaba prohibido poner con los dedos el Pan Eucarístico en su propia boca*; debía, en efecto, tomar el Cuerpo del Señor de la palma de su mano llevándolo directamente con ella a la boca; como motivo se indicaba que se trataba, no de un alimento común, sino de un alimento celestial:

> «*Al sacerdote se le ordena recibir la partícula del Pan Consagrado directamente de la palma de su*

[43] *Hom. Catech.* 16, 27.

mano. Que no se le permita ponerla en la boca con la mano, sino debe tomarla con la boca, porque se trata de un alimento celestial».[44]

En el rito caldeo y siro-malabar hay un detalle que expresa el profundo respeto al tratar el Pan Consagrado: *antes de que el sacerdote en la Liturgia Eucarística toque con sus dedos el Cuerpo del Señor se le inciensan las manos.* El Cardenal Joseph Ratzinger había hecho la siguiente observación: el hecho de que el sacerdote tome por sí mismo el Cuerpo del Señor no sólo lo distingue del laico, sino que lo debe llevar a tomar conciencia de que se encuentra delante del *mysterium tremendum* y de que obra en persona de Cristo.[45]

El hecho de que un hombre mortal tomara el Cuerpo del Señor directamente con sus manos, exigía para San Juan Crisóstomo una actitud de gran madurez espiritual:

«El sacerdote continuamente toca a Dios con sus manos. ¡Qué pureza, que piedad se exige de él! ¡Reflexiona ahora un poco, cómo deben ser aquellas manos que tocan cosas tan santas!».[46]

[44] Nel canone di Ioannes Bar-Abgari si dice: *«Sacerdoti praecipit, ut palmis manuum particulam sumat, neve corporis particulam manu ori inferat, sed ore capiat, quia caelestis est cibus»*: Denzinger, *o.c.*, vol. I, p. 81.

[45] Cf. *Kirche, Ökumene, Politik. Neue Versuche zur Ekklesiologie*, Einsiedeln 1987, 19.

[46] *De sacerdotio*, VI, 4.

En la antigua Iglesia siria, el rito de la distribución de la Comunión era comparado con la escena de la purificación del profeta Isaías por parte de uno de los serafines. En uno de sus sermones, San Efrén hace hablar a Cristo con estas expresiones:

> «*La proximidad del carbón santificó los labios de Isaías. Ahora soy Yo quien, aproximándome a vosotros por medio del pan, os he santificado. Las pinzas que vio el profeta y con las que fue tomado el carbón del altar, eran la figura de mí mismo en el gran Sacramento. Isaías me vio así como vosotros me veis ahora: extendiendo mi mano derecha y llevando a vuestras bocas el Pan Vivo. Las pinzas son mi mano derecha. Yo hago la tarea del serafín. El carbón es mi Cuerpo. Todos vosotros sois Isaía*».[47]

Esta descripción permite concluir que, en la Iglesia siria de la época de San Efrén, la Santa Comunión era distribuida directamente en la boca. Esto también se puede constatar en la Liturgia de Santiago, que era aún más antigua que la llamada "de San Juan Crisóstomo".[48] En la Liturgia de Santiago, antes de distribuir a los fieles la Sagrada Comunión, el sacerdote recita esta oración:

[47] *Sermones in hebdomada sancta,* 4, 5.

[48] Cf. Maldonado, L., *La Plegaria Eucarística,* Madrid 1967, 422-440.

«El Señor nos bendiga y nos haga dignos de tomar con manos inmaculadas el Carbón Encendido poniéndolo en la boca de los fieles».[49]

En el rito siro occidental, el sacerdote al distribuir la Comunión recita esta fórmula:

«El propiciatorio y vivificante carbón del Cuerpo y Sangre de Cristo nuestro Dios viene dado al fiel por el perdón de las ofensas y por la remisión de los pecados».

Existe un testimonio similar de San Juan Damasceno:

«Recibamos el Carbón Divino para que seamos inflamados y divinizados por nuestra participación en el fuego divino. Isaías vio este carbón. Ahora bien, el carbón no es un simple leño, sino leño unido al fuego. Del mismo modo, el pan de la Comunión no es simple pan, sino pan unido con la Divinidad».[50]

En base a la experiencia hecha en los primeros siglos, al crecimiento orgánico en la comprensión teológica del Misterio Eucarístico y al consiguiente desarrollo ritual, el modo de distribuir la Comunión en la mano *fue limitado, hacia el fin de la edad pa-*

[49] Según la edicion paleoeslava: *Bozestwennaya Liturgia Swjatago Apostola Iakowa Brata Boziya i perwago ierarcha Ierusalima*, Roma-Grottaferrata 1970, p. 91.

[50] *De fide orthod.* 4, 13.

trística, a un grupo cualificado, es decir, al clero, como ocurre hasta ahora en el caso de los ritos orientales. A los laicos por lo tanto se les comenzó a dar el Pan Eucarístico (que, en los ritos orientales, está embebido en el Vino Consagrado) directamente en la boca. *En la mano se distribuye, en los ritos orientales, sólo el pan no consagrado, el llamado "antídoron".*[51] Así también se muestra de manera evidente la diferencia entre Pan Eucarístico y pan simplemente bendito.

VI

Hace ya años el Cardenal Ratzinger hizo esta preocupante constatación respecto del momento de la Comunión en numerosos lugares:

> «*Ya no ascendemos más a la grandeza del evento de la Comunión, sino que arrastramos el don del Señor hacia lo ordinario de la libre disposición, a la cotidianeidad*».[52]

Estas palabras del entonces Cardenal son casi un eco de las admoniciones de los Padres de la Iglesia

[51] Cf. K. Ch. Felmy, *Customs and Practices Surrounding Holy Communion in the Eastern Orthodox Churches* in Ch. Caspers (ed.), *Bread of Heaven. Customs and Practices Surrounding Holy Communion*, Kampen 1995, pp. 41-59: cf. anche J.-M. Hanssens, *Le cérémonial de la communion eucharistique dans les rites orientaux:* Gregorianum 41 (1961) 30-62.

[52] Cf. *Das Fest des Glaubens. Versuche zur Theologie des Gottes-dienstes*, Einsiedeln 1981, p. 131.

respecto al momento de la Comunión, como se lo puede percibir, por ejemplo, en las siguientes expresiones de San Juan Crisóstomo, Doctor Eucarístico:

> «*Piensa cuánta santidad es necesaria que tengas desde el momento que has recibido signos aún más grandes que aquellos que los judíos recibieron en el Santo de los Santos. En efecto, no habitan en ti los querubines, sino el Señor de los mismísimos querubines; no tienes ni el arca, ni el maná, ni las tablas de piedra, ni tampoco la vara de Aarón, sino el Cuerpo y Sangre del Señor, el Espíritu en lugar de la letra, tienes un don inefable. Entonces, cuanto más grandes son los signos y más venerables los misterios con que has sido honrado, tanto mayor será santidad de la que se te pedirá cuenta*».[53]

El auténtico y estrecho vínculo que une la edad antigua (patrística) con la Iglesia actual en esta materia es el cuidado reverente del Cuerpo del Señor aun en las más pequeñas partículas.[54]

La Santa Sede en una reciente Instrucción para las Iglesias católicas orientales hablando sobre modo de distribuir la Comunión, especialmente sobre el uso de que sólo los sacerdotes toquen el Pan

[53] *Hom. in Ps.* 133, 2: PG 55, 386.

[54] Cf. J.R. Laise, *Comunión en la mano. Documentos e historia*, Buenos Aires 2005, pp. 70-71.

Eucarístico, expresa un criterio que es, en sí mismo, válido para la praxis litúrgica de toda la Iglesia:

«Aun cuando esto excluya la valorización de otros criterios, también legítimos, e implique la renuncia a ciertas comodidades; una modificación del uso tradicional corre el riesgo de causar una intrusión no orgánica respecto del cuadro espiritual que se ha intentado buscar».[55]

En la medida en la cual se constata una cultura que se ha alejado de la fe y que no reconoce más Aquél ante el cual hay que arrodillarse, el gesto litúrgico de la genuflexión «es el gesto justo, es más, es el interiormente necesario», como observaba el Cardenal Ratzinger.[56]

El gran Papa Juan Pablo II insistía en el hecho de que, en vista de la cultura desacralizada de los tiempos modernos, la Iglesia de hoy debía sentir un especial deber respecto de la sacralidad de la Eucaristía:

> *«Es necesario recordarlo siempre, y quizás sobre todo en nuestro tiempo en el cual observamos una tendencia a borrar la distinción entre «sacrum» y «profanum», dada la difundida general tendencia (al menos en ciertos lugares) a la desacralización de todas las cosas. En esta realidad la Iglesia tiene el particular deber de*

[55] Congregazione per le Chiese Orientali, Istruzione *Il Padre inestimabile* per l'applicazione delle prescrizioni liturgiche del Codice dei Canoni delle Chiese Orientali, 6 gennaio 1996, n. 58.

[56] *Introduzione, o.c.*, p. 190.

asegurar y corroborar el sacrum de la Eucaristía. En nuestra sociedad pluralista, y con frecuencia también deliberadamente secularizada, la viva fe de la comunidad cristiana garantiza a este «sacrum» el derecho de ciudadanía».[57]

VII

La Iglesia atestigua con el rito mismo su fe en Cristo y lo adora, a Él que está presente en el Misterio Eucarístico y es dado en alimento a los fieles.[58] El modo de tratar el Pan Eucarístico reviste un valor altamente pedagógico. El rito debe ser un testimonio fiel de lo que la Iglesia cree. El rito debe ser el pedagogo al servicio de la fe (del dogma). El gesto litúrgico, en modo eminente, el gesto de recibir el Cuerpo Eucarístico del Señor, de recibir por lo tanto al «Santo de los Santos», impone al cuerpo y al alma actitudes conforme a las exigencias del espíritu.

El siervo de Dios Cardenal John Henry Newman enseñaba en este sentido:

> *«Creer y no manifestar reverencia, celebrar el culto con excesiva familiaridad, descuidadamente, es una cosa anómala y un fenómeno desconocido aun por las falsas religiones, por no decir nada de la verdadera. Culto, formas de culto —como doblar la rodilla, quitarse*

[57] Carta Apostólica *Dominicae cenae*, n . 8.

[58] Cf. Sacra Congregatio pro Cultu Divino, Istruzione *Memoriale Domini*: Enchiridion Vaticanum III, n. 1273.

el calzado, hacer silencio y otras cosas similares—, son considerados necesarios para acercarse a Dios como se debe».[59]

San Juan Crisóstomo reprochaba a los sacerdotes y diáconos que distribuían la Sagrada Comunión con respeto humano y sin el debido cuidado:

«También si alguno, por ignorancia, se acerca a la Comunión, impídeselo, no temas. Teme a Dios, no al hombre. En efecto, si temes al hombre, éste se burlará de ti; en cambio si temes a Dios, serás respetado también por los hombres. Estaría dispuesto a morir antes que a dar la Sangre del Señor a una persona indigna; vertería mi sangre antes que dar la venerada Sangre del Señor de manera inadecuada».[60]

San Francisco de Asís amonestaba a los clérigos invitándolos a una particular vigilancia y reverencia al distribuir la Santa Comunión:

«Son numerosos (...) quienes la distribuyen [la Eucaristía] de manera irresponsable... ¿No nos mueven a compasión todas estas profanaciones, al pensar que el mismo Señor, tan bueno, se abandona en nuestras manos y cada día

[59] "Reverence in Worship": *Parochial and Plain Sermons*, San Francisco 1997, vol. 8, p. 1571.
[60] *Hom.* 82, 6 in *Ev. Io*: PG 58, 746.

Lo tenemos y Lo recibimos con nuestra boca? ¿Hemos olvidado acaso que un día seremos nosotros los que caeremos en Sus manos?».[61]

Tampoco debe olvidarse la siempre actual admonición del Catecismo Romano que en el fondo traduce la enseñanza del Apóstol Pablo en *I Cor.* XI, 27–30:

«Entre todos los sagrados Misterios (...) no hay ninguno que pueda ser parangonado al Santísimo Sacramento de la Eucaristía; no hay, por lo tanto, ofensa que haga temer un peor castigo de Dios que cuando los fieles no tratan ni santa ni devotamente un Misterio que es todo santidad, o, más bien, que contiene en sí mismo el propio autor y la fuente de la santidad».[62]

VIII

La Iglesia de rito latino podría aprender mucho hoy día de las Iglesias orientales en cuanto al modo de cómo se debe tratar a Cristo Eucarístico durante

[61] *Lettera al clero*: *Gli scritti di S. Francesco d'Assisi.* Nuova edizione critica e versione italiana, ed. K. Esser, Padova 1995, p. 197.

[62] «*Quemadmodum ex omnibus sacris mysteriis, quae nobis tamquam divinae gratiae certissima instrumenta Dominus Salvator noster commendavit, nullum est quod cum sanctissimo Eucharistiae sacramento comparari queat, ita etiam nulla gravior alicuius sceleris animadversio a Deo metuenda est, quam si res omnis sanctitatis plena, vel potius quae ipsum sanctitatis auctorem et fontem continet, neque sancte neque religiose a fidelibus tractetur.*»: *Catechismus Romanus*, Pars II, cap. 4, ed. P. Rodriguez, Città del Vaticano 1989, p. 235.

La distribución de la S. Comunión durante la santa Misa
con ocasión del cierre del Concilio Vaticano II
(8 de diciembre de 1965, Basílica Vaticana)

la Comunión. Por citar sólo uno de los muchísimos y bellísimos testimonios:

> «*El Santo sale sobre la patena y en el cáliz, en gloria y majestad, acompañado por los presbíteros y por los diáconos, en una grande procesión. Miles de ángeles y de servidores de fuego del Espíritu salen delante del Cuerpo de Nuestro Señor, glorificándolo*».[63]

El axioma de los Padres de la Iglesia sobre el modo de tratar a Cristo durante la Comunión era este: «*cum amore ac timore!*». Lo atestiguan, por ejemplo, estas conmovedoras palabras de San Juan Crisóstomo, Doctor Eucarístico:

> «*Vamos con la debida modestia al encuentro del Rey de los cielos. Y al recibir esta Hostia santa e inmaculada, la besamos con efusión y, abrazándola con nuestra mirada, inflamamos nuestra mente y nuestra alma, uniéndonos a ella no para juicio y condenación, sino para volvernos santos y edificar el prójimo*».[64]

Las Iglesias orientales han conservado esta actitud interior e igualmente exterior también en

[63] *Explicación de los Misterios de la Iglesia*, atribuida a Narsai de Nisibe, citado en la Instrucción *Il Padre inestimabile*, l.c. Narsai de Nisibe (399-502) fue el teólogo por excelencia de la iglesia nestoriana.

[64] *Hom. in Nativ.* 7 (PG 49, 361).

los tiempos modernos y hasta nuestros días. En su opúsculo *Meditaciones sobre la Divina Liturgia*,[65] el famoso escritor ruso Nicolás Gogol comentaba así el momento de la recepción de la Sagrada Comunión:

> *«Con ardiente deseo e inflamado por el fuego del santo amor por Dios, los comulgantes se acercan recitando la confesión de fe en el Señor Crucificado. Después de haber recitado la oración de la confesión, cada uno se acerca ya no al sacerdote, sino al serafín flamígero. El fiel abre sus labios para recibir con la santa cuchara el carbón ardiente del Cuerpo y Sangre de Cristo».*[66]

Un santo moderno de la Iglesia ortodoxa rusa, el sacerdote Juan de Kronstadt († 1908), describe así el aspecto espiritual y gestual del momento de la Sagrada Comunión:

«Qué cosa ocurriría si Tú, Señor Dios mío Jesucristo, hicieras resplandecer la luz de tu divinidad en tu Santísimo Sacramento, cuando el sacerdote lo lleva en sus manos a un enfermo. Ante esta luz todos aquellos que lo encontraran o lo vieran se prosternarían espontáneamente, ya que los ángeles cubren sus

[65] Cf. Nikolaj V. Gogol', *Meditazioni sulla Divina Liturgia*, Roma 2007.

[66] Cf. *op. cit.*, pp. 139.140.

rostros ante este Sacramento. En cambio, ¡cuántos son aquellos que con indiferencia tratan este Celestial Sacramento!»[67]

En una explicación de la Divina Liturgia, recientemente editada por la Iglesia ortodoxa rusa, se encuentra esta instrucción a los fieles que comulgan:

«Aquellos laicos que están preparados para la recepción de los Sagrados Misterios, después de la exclamación del diácono, deben acercarse al Cáliz con el temor de Dios, porque se acercan al fuego, deben acercarse con la fe en el Sacramento y con el amor a Cristo. Cada uno debe postrarse en tierra adorando a Cristo realmente presente en los Sagrados Misterios».[68]

La Iglesia de la antigüedad y los Padres de la Iglesia han mostrado una gran sensibilidad por el significado del gesto ritual. Puesto que el primer y continuo efecto del rito sacral y litúrgico consiste en el separar y liberar al hombre de lo cotidiano.[69]

[67] Cf. Swjatoj prawednyi Ioann Kronshtadskij, *Moya zisnj wo Christje*, Moskwa 2006, p. 248, n. 444.

[68] El Consejo editorial de la Iglesia ortodoxa rusa ha editado nuevamente la explicación de la Divina Liturgia del docto obispo Bessarion Neciayew (1828-1905): *Ob'yasneniye Bozestvennoy Liturgii*, Moskwa 2006, p. 389.

[69] Según la expresión de Romano Guardini: "*Die erste, immer wieder zu erfahrende Wirkung des Liturgischen ist: es löst vom Täglichen ab und befreit*" ("*El primer resultado, experimentable una y otra vez, de lo litúrgico es: despegar de lo cotidiano y liberar*"): *Vorschule des Betens*, Einsiedeln 1943, p. 260.

IX

El espíritu auténtico de la devoción eucarística de los Padres de la Iglesia se desarrolló orgánicamente a fines de la antigüedad en toda la Iglesia (Oriente y Occidente) en los correspondientes gestos del modo de recibir la Sagrada Comunión en la boca: precedida de una prosternación (Oriente) o de rodillas (Occidente). En este contexto es instructiva una comparación con el desarrollo del rito de la Comunión en las comunidades protestantes. En las primeras comunidades luteranas se recibía la Comunión en la boca y de rodillas, dado que Lutero no negaba la presencia real. En cambio Zwinglio, Calvino y sus sucesores, que negaban la presencia real, introdujeron nuevamente en el siglo XVI la Comunión en la mano y de pie:

> *«Estar de pie y moviéndose para recibir la Comunión era costumbre».*[70]

Una práctica similar se observaba en las comunidades de Calvino en Ginebra:

> *«Era costumbre moverse y estar de pie para recibir la Comunión. La gente estaba de pie*

Cf. Luth, J.R., *Communion in the Churches of the Dutch Reformation to the Present Day* in: Ch. Caspers (ed.), *Bread of Heaven. Customs and Practices Surrounding Holy Communion*, Kampen 1995, p. 101.

delante de la mesa y recibía las especies con sus propias manos».[71]

Algunos sínodos de la Iglesia calvinista de Holanda, en los siglos XVI y XVII, establecieron *formales prohibiciones de recibir la Comunión de rodillas*:

> *«En los primeros tiempos la gente se arrodillaba durante la oración y recibía la Comunión también arrodillada, pero varios sínodos lo prohibieron para evitar toda hipótesis de que el pan pudiera ser venerado».*[72]

En la conciencia de los cristianos del segundo milenio (ya católicos, ya protestantes) el gesto de recibir la Comunión de pie o de rodillas no era entonces un aspecto insignificante. En algunas ediciones diocesanas del *Ritual Romano* post-tridentino se conservaba todavía el antiguo uso de dar a los fieles, inmediatamente después de la Comunión del Cuerpo de Cristo, el vino no consagrado con el fin de la ablución de la boca. En estos casos se prescribía que el fiel no recibiese el vino de rodillas sino de pie.[73]

[71] *Ibid.*

[72] Luth, *op. cit.*, p. 108.

[73] Cf. Heinz, A., *Liturgical Rules and Popular Religious Customs Surrounding Holy Communion between the Council of Trent and the Catholic Restoration in the 19th Century*: in Ch. Caspers (ed.), *Bread of Heaven*, *op. cit.*, pp. 137-138.

Además se debe tener cuenta del valor altamente educativo de un gesto sacro y augusto. Un gesto de cotidianeidad no tiene un efecto educativo que ayudaría a un crecimiento del sentido de lo sacro. Se debe tener cuenta de que precisamente el hombre moderno es muy poco capaz de un acto litúrgico y sacro, como justa y precisamente observó Romano Guardini en un artículo escrito ya en el año 1965:

> «*El hombre de hoy no es capaz de un acto litúrgico. Para esta acción no basta la instrucción, es necesaria la educación, es más, la iniciación que en el fondo no es otra cosa que el ejercicio de este acto*».[74]

Si toda celebración litúrgica es acción sacra por excelencia (cf. *Sacrosanctum Concilium*, n. 7), debe serlo también, y sobre todo, el rito y el gesto de recibir la Sagrada Comunión, el Santísimo por excelencia. Benedicto XVI en la exhortación apostólica postsinodal *Sacramentum caritatis* subraya el aspecto de la sacralidad concerniente a la Sagrada Comunión:

> «*Recibir la Eucaristía significa ponerse en actitud de adoración hacia Aquél que recibimos*» (n. 66).

[74] El artículo apareció en la revista *Humanitas* 20 (1965), citado en: Tagliaferri, R., *La "magia" del rito. Saggi sulla questione rituale e liturgica*, Padova 2006, p. 406.

La actitud de adoración hacia Aquél que está realmente presente en el humilde pedazo de Pan Consagrado, no sólo con su Cuerpo y su Sangre, sino también con la majestad de su divinidad, se expresa de modo más natural y obvio con el gesto bíblico de la adoración de rodillas o postración. San Francisco de Asís, cuando en la lejanía veía un campanario, se arrodillaba y adoraba a Jesús presente en la Sagrada Eucaristía.

¿No correspondería más a la verdad de la íntima realidad del Pan Consagrado si también el fiel de hoy al recibirlo *se hincara de rodillas, abriendo la boca* como el profeta que recibía la palabra de Dios (cf. *Ez.* II) y dejándose nutrir como un niño (puesto que la Comunión es una lactancia espiritual)? Esta actitud mostraron las generaciones de los católicos en todas las iglesias durante casi todo el segundo milenio. Un tal gesto sería también un impresionante signo de la profesión de fe en la presencia real de Dios en medio de los fieles. Si llegara de improviso un no creyente y observara semejante acto de adoración y de simplicidad espiritual, quizás también él «se postraría en tierra y adoraría a Dios proclamando que verdaderamente Dios está entre vosotros» (*I Cor.* XIV, 24–25). Así deberían ser los encuentros de los fieles con Cristo Eucarístico en el augusto y sacro momento de la Comunión.

El conocido convertido inglés Frederick William Faber (1814-1863) fue movido a la conversión cuando fue testigo de un conmovedor gesto de adoración y de fe en la presencia real de Cristo en la

Eucaristía en la Basílica Lateranense en el año 1843. Para un católico aquélla era una escena ordinaria y habitual, sin embargo para Faber fue una escena inolvidable para toda su vida. Él lo cuenta así:

> «*Todos nosotros nos arrodillábamos con el Papa. Nunca vi una escena más conmovedora. Los cardenales y prelados arrodillados, los soldados arrodillados, la multitud colorida arrodillada, en el medio del esplendor de la magnífica iglesia estaba el anciano Papa vestido de blanco, humildemente postrado de rodillas ante el sublime y sacrosanto Cuerpo de nuestro Señor; y al mismo tiempo había un profundísimo silencio. ¡Qué santo espectáculo era este!*».[75]

[75] Cf. Holböck, F., *Das Allerheiligste und die Heiligen*, Stein a. R. 1986.

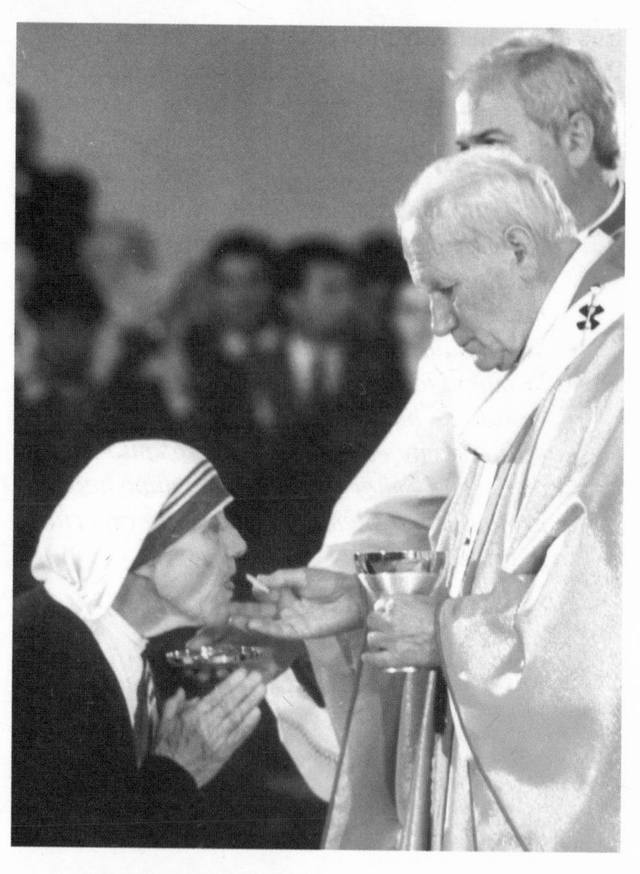

La Beata Teresa de Calcuta recibe la Sagrada Comunión
(25 de marzo de 1993, Catedral de Tirana, Albania)

Conclusión

Con el telón de fondo de la dos veces milenaria historia de la piedad y de la tradición litúrgica de la Iglesia universal de Oriente y Occidente (sobre todo en lo que respecta al desarrollo orgánico del patrimonio patrístico), podemos hacer la siguiente síntesis:

1.- *El desarrollo orgánico de la piedad eucarística como fruto de la piedad de los Padres de la Iglesia* condujo a todas las Iglesias sea de Oriente o de Occidente, ya en el primer milenio, a administrar la Sagrada Comunión a los fieles directamente en la boca. En Occidente, al inicio del segundo milenio, se agregó el gesto profundamente bíblico de arrodillarse. En las múltiples tradiciones litúrgicas orientales se circunda el momento de la recepción del Cuerpo del Señor con augustas ceremonias y frecuentemente se exige de los fieles una previa postración en tierra.

2.- La Iglesia prescribe el uso de la bandeja de comunión para evitar que alguna partícula de la Hostia Sagrada caiga por tierra (cf. *Missale Romanum*, Institutio generalis, n. 118; *Redemptionis sacramentum*, n. 93) y que el obispo se lave las manos después de la distribución de la Comunión (cf. *Caeremoniale episcoporum*, n. 166). Sin embargo en el caso de la distribución de la Comunión en la mano ocurre no raramente que se *desprendan fragmentos de la Hostia, los cuales o caen por tierra o permanecen adheridos a la palma y a los dedos de la mano* de los comulgantes.

3.- El momento de la Sagrada Comunión, en cuanto es el encuentro del fiel con la Persona Divina del Redentor, *exige por su naturaleza también exteriormente gestos típicamente sacros como la postración de rodillas* (la mañana del domingo de la Resurrección las mujeres adoraron al Señor resucitado prosternándose ante Él (cf. *Mt*. XXVIII, 9) y también los Apóstoles lo hicieron (cf. *Lc*. XXIV, 52) y quizás el apóstol Tomás al decir «Señor mío y Dios mío» (cf. *Jn*. XX, 28).

4.- *El dejarse nutrir como un niño*, recibiendo la Comunión directamente en la boca, expresa ritualmente del mejor modo el carácter de la receptividad y del ser niño delante de Cristo que nos nutre y que nos «amamanta» espiritualmente. En cambio el adulto se lleva él mismo el alimento con sus dedos a la boca.

5.- La Iglesia prescribe que durante la celebración de la Santa Misa, *en el momento de la consagración, todos los fieles deben arrodillarse*. ¿No sería litúrgicamente más adecuado si al momento de la Sagrada Comunión, cuando el fiel se acerca también corporalmente lo más cerca posible al Señor, *el Rey de reyes*, lo saludara y lo recibiera arrodillado?

6.- El gesto de recibir el Cuerpo del Señor en la boca y de rodillas podría ser un testimonio visible de la fe de la Iglesia en el Misterio Eucarístico, además de tener *un efecto regenerativo y educativo para la cultura moderna, para la cual el arrodillarse y la infancia espiritual son fenómenos completamente extraños*.

7.- El deseo de demostrar a la augusta persona de Cristo también en el momento de la Sagrada Comunión, afecto y honor de modo visible debería adecuarse al espíritu y al ejemplo de la milenaria tradición de la Iglesia: «*cum amore ac timore*» (el adagio de los Padres del primer milenio) y «*quantum potes, tantum aude*» («cuanto puedes, tanto osa», el adagio del segundo milenio).

Por último transcribimos una conmovedora plegaria de María Stang, madre y abuela alemana del Volga, que había sido deportada por el régimen estalinista en Kazajstán. Esta mujer con alma «sacerdotal» custodiaba la Sagrada Comunión y la llevaba en medio de la persecución comunista a los fieles diseminados en las estepas ilimitadas de Kazajstán rezando con estas palabras:

«Ahí donde vive mi querido Jesús, entronizado en el tabernáculo, ahí quiero estar arrodillada continuamente. Ahí quiero rezar perpetuamente. Jesús, te amo profundamente. Amor escondido, te adoro. Amor abandonado, te adoro. Amor despreciado, te adoro. Amor pisoteado, te adoro. Amor infinito,

Amor muerto por nosotros en la Cruz, te adoro. Mi querido Señor y Salvador, haz que yo sea enteramente amor, enteramente expiación por el Santísimo Sacramento en el corazón de tu clementísima Madre María. Amén».

Quiera Dios que los Pastores de la Iglesia puedan renovar la casa de Dios que es la Iglesia poniendo a Jesús Eucarístico en el centro, dándole el primer lugar, haciendo que Él reciba gestos de honor y adoración también en el momento de la Sagrada Comunión. «*¡La Iglesia ha de enmendarse a partir de la Eucaristía!*» (*Ecclesia ab Eucharistia emendanda est!*) En la Sagrada Hostia no hay algo, sino Alguien. «¡Él está ahí!», así sintetizó el Misterio Eucarístico San Juan María Vianney, el santo cura de Ars. Ya que aquí no se trata de ninguna otra cosa ni de nada menos que del mismo Señor: «*Dominus est*!»

INDICE

DOMINUS EST
Reflexiones
de un obispo del Asia Central
sobre la Sagrada Comunión

Se terminó de imprimir
el mes de octubre del 2008
en los talleres de
Impretei S.A. de C.V.
Almería No. 17
Col. Postal, México, D.F.
impreteisa@prodigy.net.mx

Se imprimieron 2000 ejemplares
más sobrantes para reposición